大開眼界小百科

奇妙人體大解構

新雅文化事業有限公司
www.sunya.com.hk

大開眼界小百科
奇妙人體大解構

作者：欽齊亞・邦奇（Cinzia Bonci）、阿爾貝托・羅希尼（Alberto Roscini）

插圖：亞哥斯提諾・特萊尼（Agostino Traini）

翻譯：陸辛耘

責任編輯：陳友娣

美術設計：何宙樺

出版：新雅文化事業有限公司

香港英皇道499號北角工業大廈18樓

電話：(852) 2138 7998

傳真：(852) 2597 4003

網址：http://www.sunya.com.hk

電郵：marketing@sunya.com.hk

發行：香港聯合書刊物流有限公司

香港新界大埔汀麗路36號中華商務印刷大廈3字樓

電話：(852) 2150 2100

傳真：(852) 2407 3062

電郵：info@suplogistics.com.hk

印刷：中華商務彩色印刷有限公司

香港新界大埔汀麗路36號

版次：二〇一七年七月初版

ISBN: 978-962-08-6840-5
© 2005 Franco Cosimo Panini Editore S.p.A. – Modena - Italy
© 2017 for this book in Traditional Chinese language - Sun Ya Publications (HK) Ltd.
Published by arrangement with Atlantyca S.p.A.
Original Title: Il Corpo Umano, Che Meraviglia!
Text by Cinzia Bonci, Alberto Roscini
Original cover and internal illustrations by Agostino Traini
18/F, North Point Industrial Building, 499 King's Road, Hong Kong
Published and printed in Hong Kong

嘿！你準備好跟我一起去旅行了嗎？

　　在這趟旅程中，我貓頭鷹導遊將帶你去探索多個和人體有關的奧秘：我們先在人體裏面由上至下地遊覽一遍，然後到大腦看看它的結構和運作方式，再從嗅覺、味覺、視覺、觸覺和聽覺五方面，仔細認識它們的工作方式。接着，我們會去了解新生命是怎樣形成的，而我們的生命又會經過哪些重要階段。最後，我會告訴你，怎樣可以擁有健康的身體！

　　如果你覺得我的講解有些複雜，那就請你仔細看看插畫，你會發現一切都變得容易許多。為了幫助理解，我還把難懂的詞語變成了紅色：如果你遇到這樣的詞彙，而你不知道它的意思，就請翻到「詞彙解釋」這一頁上去尋找答案。

　　另外，在看完每一章後，我們都可以稍作休息，利用每章末尾的圖或提示文字回顧一下旅程中的一些重點。

祝你旅途愉快！

目 錄

人體 p.7

大腦 p.19

嗅覺與味覺 p.31

視覺 p.43

觸覺與聽覺 p.55

新生命的誕生 p.67

生命的不同階段 p.79

健康的身體 p.91

人體

地球上住着好多好多的人，卻找不出兩個一模一樣的來。有人長着黑頭髮，有人長着金頭髮；有的人高，有的人矮；有人的膚色比較黑，有人的膚色比較白；有人的聲音響亮，有人的聲音細小；有人擅長繪畫，有人精通算術；有人唱起歌來悅耳動聽，有人跑起來像羚羊一般敏捷，還有人擁有過目不忘的記憶力呢！

正正因為人與人之間是這樣的不同，我們的世界才會多彩多姿，並且充滿驚喜。

不過，有一樣東西是所有人都相同的，那就是──人體的運作方式！趕快翻到下一頁，繼續讀下去吧！很快你就能明白這是怎麼回事了！

我們的身體像一台機器，而且是一台能夠完成許多工作的複雜機器。這台機器的控制中心就是我們的大腦，大腦會向身體發出指令，讓它去寫字、踢球、閱讀、唱歌……換句話說，大腦是身體的指揮官。

那大腦是怎麼控制身體的呢？它需要一種重要的東西——神經！神經就像一根根又細又長的線，從大腦出發，將大腦發出的指令傳遞到身體的不同部位。同樣地，信息也可以沿着相同的路線，從身體上的不同位置傳到大腦。

就以皮膚為例，它會向大腦發送許多信息——火焰是很燙的，或者花瓣是很柔軟、嬌嫩的。當大腦接收到這些信息的時候，就會命令身體遠離火焰，或是觸摸花朵時要溫柔些。

大腦

皮膚就像一件把我們由頭到腳包裹着的衣服，能保護我們的身體，阻擋寒冷、炎熱，還有細菌的侵害。皮膚是不透水的，也就是說，我們洗澡的時候，水並不會進入到我們的身體裏。皮膚上有毛孔——一些用來呼吸的小洞，還有汗毛，它們都有助散熱和保暖。

不同人的皮膚有不同的顏色，這取決於它的黑色素數量。黑色素有什麼作用呢？它是用來保護皮膚、阻擋陽光的。與淺色皮膚的人比起來，深色皮膚的人擁有較多的黑色素。

貓頭鷹告訴你

我們指尖的皮膚上有許多根線，這些線又稱為「指紋」。要知道，每個人都有自己與別不同的指紋，而且絕不會有兩個人擁有一模一樣的指紋！想知道你的指紋是什麼樣的嗎？那就把你的手指依次按在印台和白紙上，這樣你就能看到啦！

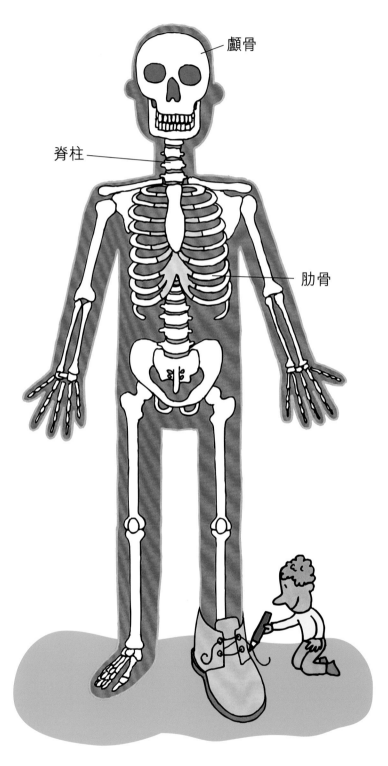

顱骨

脊柱

肋骨

　　如果你用手去摸自己的肩膀、手臂、大腿或者腦袋的話，是不是會感覺到有堅硬的東西呢？沒錯！那就是骨骼。如果沒有骨骼，我們根本站不起來。

　　人體一共有二百多根骨頭，而且每一根都很重要。比如說顱骨，它就好像頭盔一樣，保護着我們的大腦；又比如脊柱，它由許多塊相互交錯的小骨頭連接而成，支撐着我們的身體和腦袋；再如肋骨，它好像一個安全的籠子一樣，圍繞着我們的心臟和肺部，以保護它們。最後，還有我們的臂骨和腿骨。

　　如果我們不小心跌倒，可能會使骨頭碎裂。要知道它是不是出了問題，就需要照X光，也就是為骨頭拍照。要是骨頭真的碎了，就得用石膏和繃帶來幫助固定位置，也就是我們俗稱的「打石膏」。我們要確保碎裂的骨頭完全接合了，才可以拆除石膏，這需要花好幾天的時間。

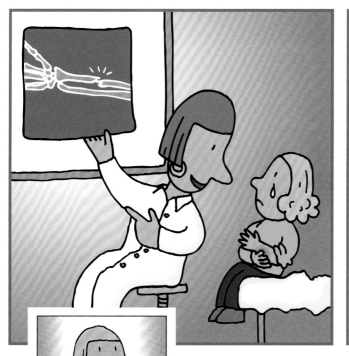

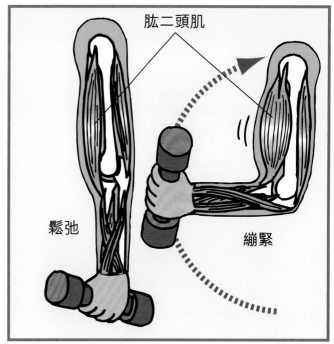

肱二頭肌

鬆弛

繃緊

　　我們的骨骼能夠隨意活動，多虧有關節和肌肉的幫忙。

　　肌肉就像是放大了的橡皮筋。事實上，正是因為肌肉給我們力量，我們才能完成許多不同的動作。我們做動作或擺出各種姿勢時，肌肉會收縮、繃緊；相反，當我們不做動作、隨意放鬆的時候，它們也會鬆弛下來，也就是處於休息的狀態。

　　你知道嗎？我們的舌頭也是一種肌肉呢！

貓頭鷹告訴你

　　陽光和維他命D能夠幫助骨骼生長，並使它們變得強健。所以，經常到戶外活動，吸收陽光，並且進食牛奶、芝士、乳酪這類食物是大有好處的，因為它們都能幫助人體增加維他命D。

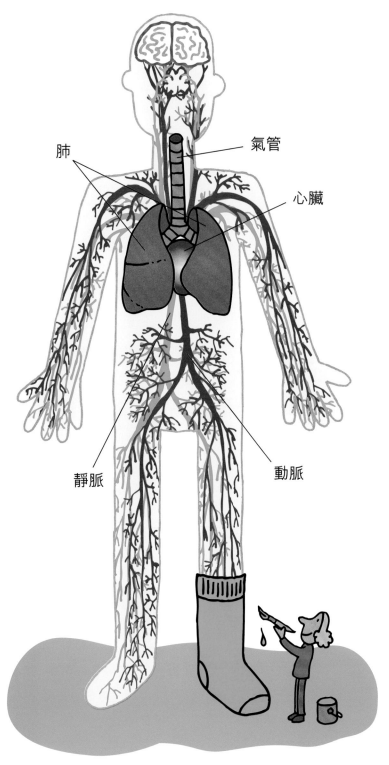

肺

氣管

心臟

靜脈

動脈

　　我們的身體裏有許多器官，它們的功能雖然各不相同，但對維持生命都同樣重要。

　　比如心臟，它是非常重要的器官，負責身體裏面的血液循環工作。血液是在動脈和靜脈裏流動的，動脈把含有氧氣與營養的血液輸送到身體各個器官，靜脈就從這些器官裏回收含有有害物質的血液，然後輸送到肺部。這些血液在肺部經過淨化之後，又一次經由動脈輸送到全身。

　　肺是人體不可缺少的器官，因為有了它們，我們才能呼吸。這個呼吸的動作，可是你來到這個世界之後會做的第一個動作，也是你無時無刻都在做的動作。

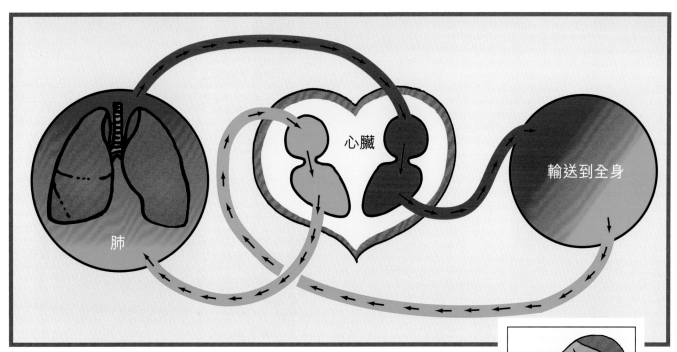

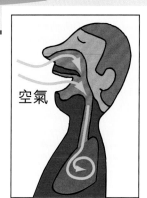

心臟

輸送到全身

肺

空氣

　　我們吸氣時，空氣會從鼻子或口吸進去，然後經過氣管，到達肺部。在肺裏面，血液會吸收空氣裏的氧氣，並將氧氣輸送到全身。當我們呼氣的時候，則會把用過的空氣排出體外。這時候，我們不需要的二氧化碳也會連同空氣一起排出去。

貓頭鷹告訴你

　　你試試把耳朵湊近一位小伙伴的胸口，聽聽他的心跳。接着，請他快跑一會兒，再讓你聽聽。這時，你會發現他的心跳快多了，這是因為心臟多用了力量，而且是很大的力，目的是把更多的氧氣運送到身體不同部分。

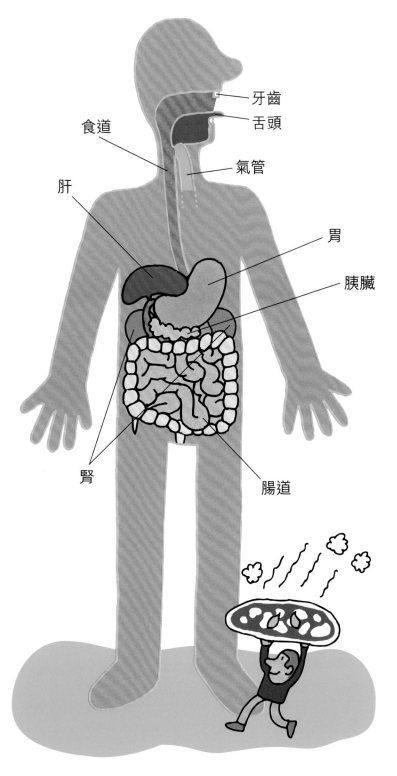

牙齒

舌頭

食道

氣管

肝

胃

胰臟

腎

腸道

　　消化器官是指和消化食物有關的器官。食物很重要，沒有它，我們就無法維持生命。

　　當我們吃東西的時候，牙齒會反覆地咀嚼食物。它們的任務是將食物切割或磨成很小很小的碎塊，以便消化。我們一定要保持牙齒健康，並仔仔細細地清潔它們。

　　切碎了的食物會沿着食道向下走，並一路滑進我們的胃裏。胃就好像一個有彈性的小袋子，它的工作和電動攪拌機很相似，可以把食物攪拌和磨成漿狀。不過，要完成這個任務，還必須有胃液的幫助。

　　食物經過胃部的處理之後，接着進入腸道，繼續它漫長的旅程。腸道的任務同樣重要：它會吸收食物中的養分和水分，然後輸送給血液，繼而運送到全身。

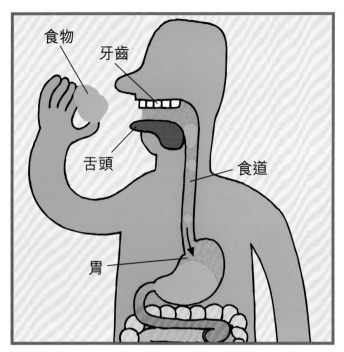

食物
牙齒
舌頭
食道
胃

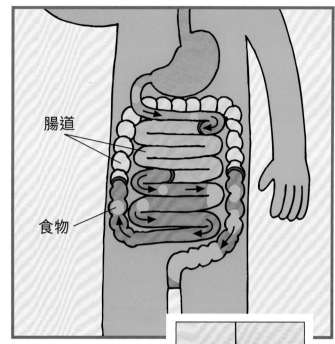

腸道
食物

　　至於那些經消化後變得沒有用的物質，就會被排出體外，也就是你去洗手間時排出來的……大便。

　　而腎就好像兩塊海綿，負責過濾體液和血液中的有害物質，過濾完的水分就是小便了。當膀胱裏面的小便累積到很多時，大腦就會向你發出信號，讓你趕快將它排掉。

貓頭鷹告訴你

　　腸道就像是一根在我們肚子裏捲起來的管子。你想像得到嗎？它可長達六至七米，相當於兩輛私家車的長度呢！

現在就讓我們回顧一下，看看人體是怎樣工作的吧！

1 向身體發送指令。

大腦

2 使我們能站立。

骨骼

3 使我們能活動。

肌肉

④ 使血液流動。

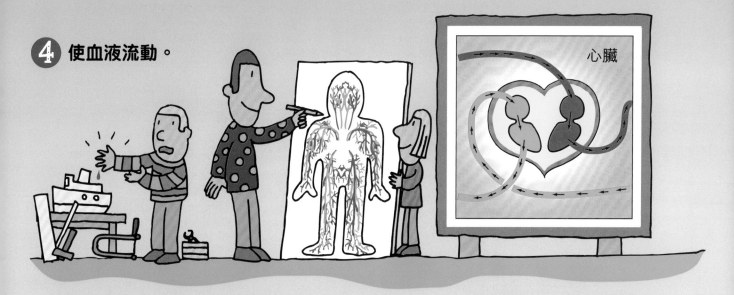

心臟

⑤ 幫助我們呼吸。

肺

⑥ 幫助我們消化。

胃

腸道

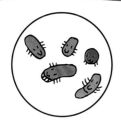

細菌 一種微生物，廣泛分布在空氣、水、土壤、生物體內和表面等等，有些細菌對人體有益，但有些細菌帶病毒，能傳播疾病，對人體有害。

黑色素 皮膚組織裏的深色物質。

關節 骨頭與骨頭之間連接的部分，可以轉動。

器官 生物體內的一部分，負責特定的任務，例如心臟。

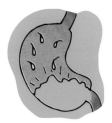

胃液 在胃裏面分泌的一種液體物質，有消化食物和殺滅細菌的作用。

過濾 使液體在通過一個物體（比如有網或小孔的勺子）之後，把當中的固體或有害物質分離出來。

 # 大腦

請仔細觀察下面的兩幅圖片，看看是不是一樣的。

初看時，它們好像一模一樣，但其實根本不一樣呢！左邊和右邊的圖片共有十個不一樣的地方，快來看看是哪十個吧！想要找到它們，就得睜大你的眼睛，轉動你的腦筋！

找到所有不同的地方了嗎？與下面的答案核對一下吧！

然後，請你翻到下一頁看看。很快你就能知道大腦是如何工作的了，它可是一個神奇的器官呢！

一隻石頭：母牛的尾巴擺放位置不同了，也且它只剩下了一隻耳朵了。

睛：右上角的雲朵少了一塊變輕鬆；小狗的眼睛睜大一樣了；有枝上多了一朵鬱金香是；籬笆多了

答案：右邊的圖畫當中，有一隻花朵少了一塊花瓣；太陽不高興了；一朵雛菊花有片葉子了；小屋頂沒了那

左半球（左腦）

　　思考、說話、有不同的情緒感受、控制身體的活動，還支配視覺、聽覺、觸覺、味覺、嗅覺五種感官⋯⋯大腦究竟能做多少事呢？答案是：很多很多！要知道，它是一個極為活躍的器官，十分繁忙，甚至比一台電腦還要忙碌呢！

　　大腦會和你一起成長，直到你二十歲。它會變得越來越重，而在這個過程中，它的能力會越來越強。例如，在一歲多的時候，你能說出來的可能只有幾個單字，可是現在呢？你已經認識了好多個詞語，而且能夠講述自己的經歷了。等你再長大一些，還能進行更複雜的演講。

　　顱骨由一系列的骨頭組成，而大腦就在顱骨裏面，並且浸在一種液體裏。這種液體能夠為大腦提供營養，並且保護大腦。

　　大腦由上百億個白色和灰色的神經細胞組成，看起來就像一個剝了殼的核桃，重量則相當於四個蘋果。如果仔細一點觀察，你會發現，在大腦後面還有一個小小的區域，那就是小腦。小腦的作用是協調動作和控制平衡。

右半球（右腦）

大腦

腦幹

小腦

在大腦再往下一點的地方，你還能看見腦幹。腦幹負責調節呼吸、心跳、體溫等等，而它在執行這些任務時，從來都不需要你操心。

大腦中間有一道溝，把大腦分成兩個半球：左半球也就是左腦，掌管語言、計算、科學、理性思考等能力；右半球也就是右腦，掌管藝術、創作、感性思考等能力，也就是處理圖像、音樂等能力。所以，根據大腦左、右半球的不同發達程度，你可能會成為一名頭腦靈活的天才科學家，又或是一名富有藝術細胞的偉大藝術家！

貓頭鷹告訴你

大腦在不同方面的能力合稱「智力」，可別以為大腦體積比小腦大，就會比小腦聰明，腦神經科醫生（也就是研究大腦的醫生）表示，根本就不是這麼回事！大腦和小腦負責不同的工作，沒有說哪個比較聰明。

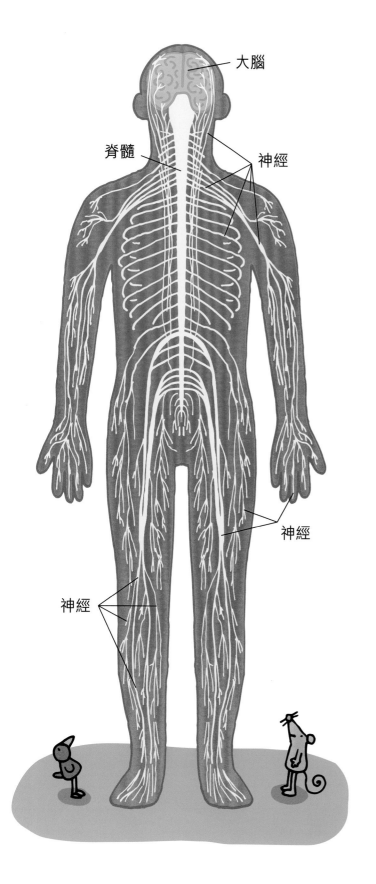

大腦

脊髓

神經

神經

神經

　　大腦裏有幾個不同的區域，專門收集和處理身體收到的信息。這些區域之間互有聯繫，並互相交流。有的區域負責控制說話的肌肉，有的則會讓我們感受到不同的感覺，並作出反應，例如害怕、高興、驚奇……當你害怕的時候，大腦可以命令嘴巴大喊：「救命啊！」

　　你看，它認識那麼多詞語，偏偏就選擇了這個，並「命令」你說出來，是不是很神奇呢？

　　對於大腦和身體的各部分來說，神經是必不可少的，因為有了神經，它們才能交換信息。這些信息經由脊髓來傳遞。脊髓像是一根長長的白色繩索，由腦部下方沿着背部的脊柱，一直通到背部末端，也就是我們的腰部。如果你摸一摸自己背脊的中間位置，可以感受到有一些骨頭存在。脊髓就是藏在這條由一節節脊椎組成的脊柱裏，並受到嚴密的保護。

有時候也會發生這樣的情況：雖然大腦沒有發出指令，但是身體自己作出反應。例如你走進一間昏暗的屋子時，眼睛裏的瞳孔會突然擴張，可是，大腦根本沒有下令瞳孔這樣做。

這種反應，就跟你遇到危險時立即採取的自我保護動作一樣，都屬於反射行為，不受大腦的控制，所以不用等待大腦下達指令。

貓頭鷹告訴你

原來大腦的右半球控制的是身體的左半部分，而左半球則控制身體的右半部分。這是因為從大腦伸延出去的神經，在頭部下方要走過一條「交叉路」，所以大腦的信息經由腦部神經離開頭部之後，會去到相反方向的身體部位。

每個人都是獨一無二的特殊個體，擁有不同的想法和情緒，這是因為每個人的大腦對於同一件事會有不同的反應。於是，一件讓你感到高興的事，在另一個孩子眼中，或許只是很普通的事。

同樣地，對於同一件事，每個人的回憶內容都可以不一樣，原因就是每個人都有自己的選擇，看看哪些感覺和經歷是他想要儲存的，哪些是他不想記住的。

比如一次你和朋友們一起參加的郊遊活動，你可以請一位有份參與的朋友回憶一下當時的事。你會發現，你們腦子裏的記憶是那麼的不一樣！那是因為你們的大腦接收到大量的信息之後，選擇了把那一刻最為重要的部分儲存下來，而沒有那麼重要的部分就會被刪除。

又好像你在玩的時候，媽媽明明在呼喚你，可你卻沒聽到。原因就是你的大腦正集中在遊戲上，於是把與遊戲無關的周邊環境刺激忽略掉了。

不過，有時也會相反。大腦的注意力可以同時放在多樣事物上，比如說你在騎自行車的時候，你會同時留意路上的行人、汽車、交通燈信號等等。

與我們的身體一樣，大腦也會日漸衰老。慢慢地，慢慢地，它會刪除一些記憶，使我們忘記一座城市或是一個人的名字，甚至連剛剛才看過的東西，也可能會想不起來。

貓頭鷹告訴你

在玩耍或者奔跑的時候，你一定要小心，避免跌倒，更不要撞到頭部。尤其是玩危險的運動，例如滑雪時，一定要戴好頭盔。因為你的大腦其實是很脆弱的，一旦受到劇烈的撞擊，它可能無法正常地運作了。

　　我們的大腦好像很能幹，但有時候也會出錯。

　　你看看上面左邊的圖畫，能看到什麼？這是一幅有兩個綠色人臉的圖畫，還是一幅有黃色獎盃的圖畫？有時我們只看到裏面的一樣事物，卻看不見同樣出現在畫面裏的另一樣事物。

　　還有個情況就是，我們沒辦法輕鬆地用兩隻手同時做不一樣的動作，比如一隻手敲頭，一隻手在肚子上畫圈圈（快試試看！）。

　　如果我們反覆觀察左邊那幅圖畫，或是跟着右邊那幅圖畫，一遍遍重複相同的動作，就有可能做到。

　　白天的時候，我們的大腦非常忙碌，它要不斷接收信息、冒出不同的想法、產生不同的情緒等等，所以到了晚上，它一定要休息。只有這樣，那些想法、感覺和信息才能在大腦的巨大記憶庫裏得到妥善的安置。

　　不過，即使是在睡夢中，大腦也沒有完全停止下來。事實上，它一直都在做夢，就算是在你沒有察覺到的時候，大腦仍然在努力工作，發揮創意——夢就是大腦創作出來的故事。

在夢裏面，可能會出現我們熟悉或陌生的人，出現我們曾經到過，或是又奇怪又可怕的地方，發生我們意想不到的事，又或者和我們白天的經歷很相似。夢就是把隱藏在我們大腦裏的想法告訴我們。

貓頭鷹告訴你

人類的大腦能完成許多工作，比很多動物的大腦強。不過，有一些動物也很聰明，例如海豚和大猩猩。牠們有些行為會超出人們意料，讓人驚歎！

你知道嗎？當海豚睡覺的時候，只有半個大腦在休息，而另一半則會幫助牠時不時浮出水面呼吸，這樣牠就不會淹死啦！

現在就讓我們回顧一下，看看大腦是怎樣工作的吧！
你懂得回答以下的問題嗎？說說看。

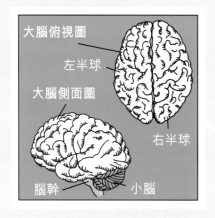

大腦俯視圖
左半球
大腦側面圖
右半球
腦幹　　小腦

大腦有哪些組成部分？

它的右半球掌管什麼能力？

它的左半球掌管什麼能力？

它和身體是如何連接的？

它的記憶庫裏包含了哪些東西？

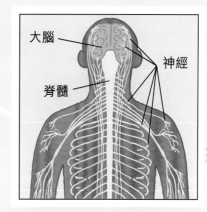

大腦

神經

脊髓

當你睡覺的時候，它在幹什麼呢？

香氣

地方　面孔　味道　音樂　顏色

氣味　噪音　聲音　炎熱　潮濕

疼痛

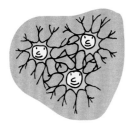

神經細胞 大腦裏極其微小的成分，彼此之間互相連結，負責傳送信息。

平衡 讓身體保持穩定姿勢，不會跌倒。

半球 一個球體的半邊部分。例如一個皮球從中間分開，可以分為左半球和右半球。

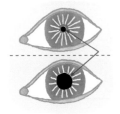

擴張 放大、增大。

儲存 把東西存放在某個地方。

刺激 事物傳送給我們的信息，使我們作出反應或採取行動，又或使我們心理上有變化。

嗅覺與味覺

快看，下面的小男孩在摘野果吃！他的一隻手伸到灌木叢上，另一隻手把野果送進口中，眼睛在觀察，嘴巴張開等着品嘗野果，耳朵聽到滑翔機的聲音，而鼻子就聞到樹木和花朵的清香。

其實，從早晨睜開眼睛，到夜晚上牀睡覺，你和他也一樣，無時無刻都在使用自己的感官——視覺、聽覺、嗅覺、味覺和觸覺。它們都是你珍貴的朋友，幫助你了解周圍的事物，認識這個世界。而控制這些感官的是大腦，也就是我們身體的指揮中心。大腦會從這些感官收取信息，然後告訴它們，該採取怎樣的行動。

在你剛來到這個世界的時候，你已在使用嗅覺與味覺，是媽媽的氣味和母乳的味道伴隨你度過了人生的最初階段。你知道這兩種感官是如何工作的嗎？翻到下一頁看看吧！

嗅覺跟我們的鼻子有關，是一種非常重要的感官，能幫助你了解自己周圍的事物。鼻子能捕捉氣味，然後向你傳遞信息。它能告訴你，在你附近有人正在烤蛋糕，或是在離你不遠處是個養豬的地方，又或者是什麼東西傳出了一股可怕的燒焦氣味。

事實上，一切有氣味的東西，都會散發微粒到空氣中。當這些微粒進入鼻子的時候會遇上嗅覺細胞，而嗅覺細胞就馬上把我們感覺到的每一種氣味信息，通過嗅球傳到大腦。這些信息傳送到大腦裏一個專門的區域，也就是識別氣味的區域。

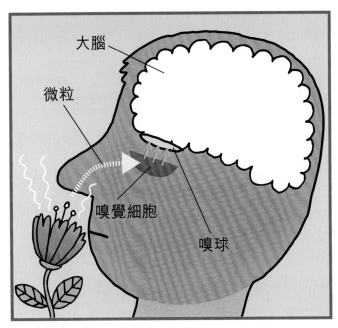

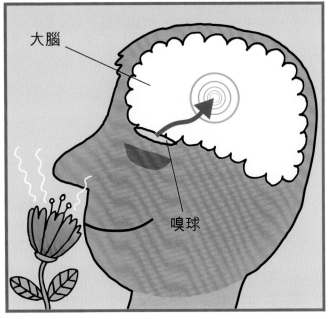

　　大腦接收到來自鼻子的信息後，會判斷自己是不是喜歡那種氣味，它是不是危險的，是不是會製造出什麼麻煩來等等。根據大腦的不同選擇，你就會作出不一樣的反應。如果大腦喜歡那種氣味，那麼它會命令你原地不動，或者去靠近散發出那種氣味的物體（例如是香噴噴的蛋糕！）。相反，如果你的大腦討厭那種氣味，它就會勸你遠遠地離開，或是捂住鼻子，又或是打開窗戶。

貓頭鷹告訴你

　　我們每個人都擁有一個堆滿回憶的大箱子。當我們突然聞到好久好久之前聞過的某種味道時，一些跟它相關的記憶就會立刻從箱子裏跳出來，浮現在我們的腦海裏，例如一塊肥皂、一個玩具，又或是一個人。在你的回憶裏面，媽媽的味道是怎樣的？祖母的味道又是怎樣的？

我們的鼻子裏長着許多鼻毛。我們呼吸的時候會吸入空氣，灰塵和微粒就隨着空氣進入我們的鼻子，而鼻毛的作用就是要阻擋它們。鼻子裏還有黏膜，能使鼻子保持濕潤，並為吸入鼻子內的空氣加熱。

如果我們的鼻子生病了，可使我們分辨不到氣味。鼻子生病的時候，為了保護自己，會分泌出比正常時要多的黏液。所以，在我們患了感冒的那幾天裏，鼻子會流鼻涕，還會塞住，導致我們什麼氣味也聞不出來。這真的很令人討厭呢！

對人類來說，短時間嗅不出氣味，問題可能不大，但如果發生在動物身上，那可是個大麻煩！

原來動物比人類更加依賴嗅覺來感覺和探測四周的環境。你知道嗎？大象的鼻子能夠嗅到遠在一千五百米以外的氣味，螞蟻可以通過氣味來分辨同類裏面的族羣，魚兒則通過獵物留在水裏的氣味來捕捉牠們。還有蝴蝶，牠們的嗅覺細胞居然是在觸角上！而且，許多蝴蝶的嗅覺都非常靈敏，能在好幾公里之外就察覺到一些特別的氣味。

　　狗的嗅覺同樣出色，即使離開了幾百公里遠，有些狗依然能夠找到回家的路。實際上，狗擁有大約兩億個嗅覺細胞，而我們人類呢，只有大約五百萬個，相差約四倍！因此，發生大型災難，例如房屋倒塌或是雪崩發生之後，救援人員會帶同「搜救犬」到災場，借助狗的靈敏鼻子來搜索和拯救。

貓頭鷹告訴你

　　除了之前提到的五種感官之外，一些動物還具有某些特殊的感官，例如海豚和蝙蝠都能製造超聲波。牠們發出的超聲波碰到其他物體的時候，會循原路返回，這樣海豚和蝙蝠就能知道那個物體距離自己有多遠。另外，大部分動物都能比人類更早察覺到地震的來臨。

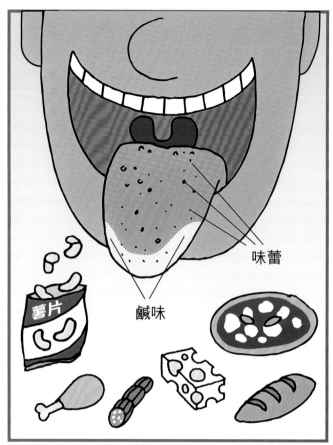

甜味

味蕾

鹹味

現在，我們來認識一下另一個重要的感官——味覺。

味覺器官的「總部」是我們長在嘴巴裏的舌頭，其實它是一種肌肉。舌頭的本領可大呢！它能幫助我們發音、說話，還有清潔牙齒等等。有了味覺，我們能分辨出事物的味道，包括固體和液體，這樣我們就能選出自己最喜歡的食物和飲料了。再加上，要是食物中有什麼奇怪或危險的味道，我們也能立刻發現。

一般來說，我們能嘗出來的味道共有四種：甜味、鹹味、酸味和苦味。舌頭上的不同區域分別對不同的味道特別靈敏：舌尖能感受到甜味，舌頭兩側能識別鹹味和酸味，舌根則能分辨出苦味。辣味也很常見，但它並不屬於味覺，而是一種痛感。

酸味　酸味

檸檬　乳酪

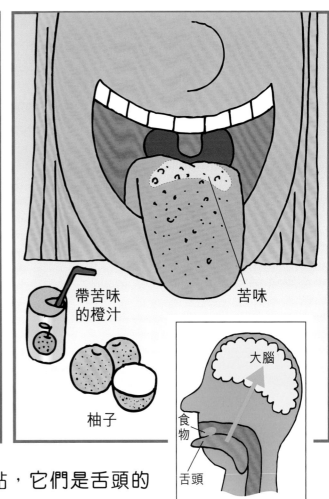

帶苦味
的橙汁　苦味

柚子

大腦

食物

舌頭

　　舌頭上面有很多突出來的小點，它們是舌頭的細胞，也叫做味蕾，會向大腦中負責識別味道的區域發送信息。那是通過什麼來發送的呢？答案是——神經。味蕾連接着味覺神經，食物碰到味蕾的時候，關於食物的信息會經由味覺神經傳送到大腦，接着大腦就會分析這是什麼味道。

貓頭鷹告訴你

　　舌頭要常常保持濕潤，表面布滿口水，這樣它才能做好自己的工作——幫助消化食物，也能更好地品嘗出食物的味道。當美味的雪糕或是香噴噴的蛋糕擺在你面前時，大腦就會發出指令，使你口腔裏的口水增多。於是，人們會用「口水直流」來形容人很想吃某種食物。

雖然說味道有酸、甜、鹹、苦四種，但其實我們能夠識別出來的味道大約有一萬種，因為這四種基本的味道還會以過千種方式，組合出不同的味道。

　　還有，人們的飲食習慣各有不同，每個人的喜好也不同，於是我們挑選食物的時候，會選一些符合自己「口味」的食物，還會從不同角度品評食物，例如軟硬度、酥脆度和溫度，當然還有氣味！

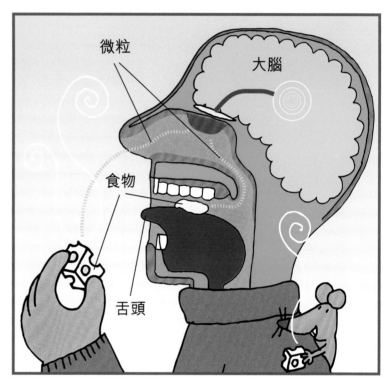

微粒

大腦

食物

舌頭

　　在味覺方面，動物同樣有使人吃驚的地方，例如鯰魚一共有十七萬五千個味蕾，並分布在它的全身；螞蟻和蜜蜂的味蕾長在牠們的觸角上，而蝴蝶和蒼蠅的味蕾則生在牠們的腿上。蒼蠅常常搓「手」搓「腳」，就是要清理手腳上的灰塵、花粉等，保持味蕾的靈敏度。

事實上，鼻子也會幫助我們識別食物的味道。在我們咀嚼食物或喝飲料的時候，含有氣味的微小粒子會進入鼻腔，鼻子就把聞到的氣味信息發送給大腦。如果大腦覺得那股氣味很討厭，就會命令嘴巴不要張開！又例如在你感冒的時候，吃什麼都好像沒有味道，原因就是你的鼻子「失靈」了！

　　另一方面，由於各地的環境、食材、生活習慣等方面的差異，不同國家和地區的人都有不同的飲食習慣。例如亞洲人較常吃米飯，歐洲人則多吃麵包、薄餅等。所以，我們喜歡的氣味和味道都不一樣。

哎呀！
荷包蛋焦了！

現在就讓我們回顧一下，看看嗅覺和味覺是怎樣工作的吧！請你根據下面的圖畫說說看。

1 我們是怎樣感覺到氣味的呢？

2 嗅覺是怎樣工作的呢？

大腦
微粒
嗅覺細胞
嗅球

3 誰比我們更依賴嗅覺呢？

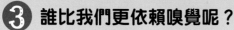

4 我們是怎樣感覺到味道的呢？

5 味覺是怎樣工作的呢？

大腦

食物

舌頭

6 舌頭能感知哪些味道呢？

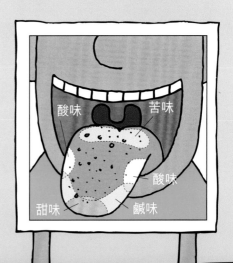

酸味　苦味

酸味

甜味　鹹味

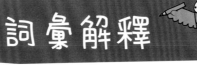

嗅覺 識別氣味的能力。

微粒 體積微小的顆粒,有些用肉眼可以看見,也有些微小得肉眼看不見。

嗅覺細胞 能夠感知氣味的微小部位,人體的嗅覺細胞位於鼻子內部的上方。

鼻子

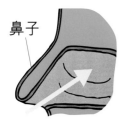

黏膜 可指器官裹一層很薄的組織,包含了血管和神經,能分泌黏液,例如鼻子裹有鼻黏膜。

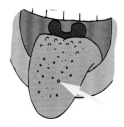

味蕾 舌頭表面的微小部位,負責感覺味道,並把這些感覺傳送給大腦。

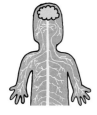

神經 縱橫交錯的網絡,連接大腦和身體的各個部位。身體不同部位接收到的信息通過它們傳給大腦,大腦的命令也經由它們傳送到身體各處。

 # 視覺

　　凱薩琳來到戶外散步，她看見在天空中飛舞的蝴蝶和蜜蜂，看見綠油油的樹葉，還看到站在樹枝上的小鳥。

　　忽然，她用手蒙着雙眼，想看看自己是不是能記起剛才看見的所有東西。在一片漆黑之中，她不禁想：「視覺的魔力真是太不可思議了！」

　　當她重新睜開雙眼的時候，剛才的顏色和事物依然在原來的地方。她又禁不住問：「我們到底是怎樣看見東西的呢？」

　　那你呢？你知道我們是怎樣看見東西的嗎？趕快翻到下一頁，看看視覺的秘密吧！

視覺也是五大感官之一，能夠幫助我們了解周圍的環境。無論是眺望遠方，還是觀察近處的某樣東西，我們都要用到同一樣工具。是什麼呢？當然是眼睛啦！

　　現在請你拿一面鏡子放在自己面前，瞧瞧你看見了什麼？在你的眼睛中央，是不是有個黑色的小圓圈呢？它叫做瞳孔，是用來捕捉光線的。你有沒有留意到，當光線不足的時候，瞳孔就會放大，而在光線強烈的時候，它又會縮小呢？

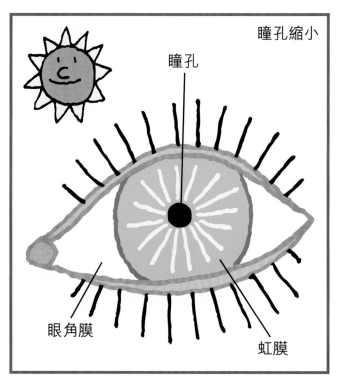

瞳孔縮小

瞳孔

眼角膜

虹膜

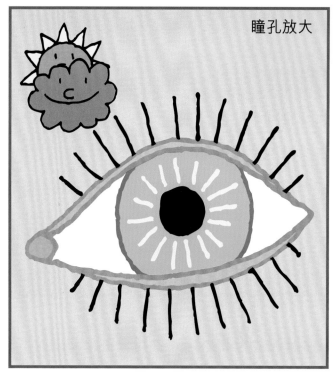

瞳孔放大

　　瞳孔的位置正好在虹膜的中心。虹膜是眼睛裏有顏色的部分，它可能是棕色的，可能是綠色的，也可能是藍色的。趕快看看，你的虹膜是什麼顏色的呢？

　　在瞳孔和虹膜的外面，覆蓋着眼角膜。眼角膜是透明的、薄薄的，位於眼球前方，它的作用是使眼睛看得更清楚，並保護眼睛的外部。沒錯！眼睛就好像一個皮球，而我們所看到的，只是這個皮球的一小部分而已。

貓頭鷹告訴你

　　我們擁有兩隻眼睛，這是有原因的。為什麼這樣說呢？讓我們來做個小實驗吧！請你找來一枝有蓋的筆，把筆蓋脫出來，然後閉上一隻眼睛，試試把筆蓋套回去。是不是很難呢？可如果把兩隻眼睛都睜開，再試試套回筆蓋，是不是變得很容易了呢？這就是我們擁有兩隻眼睛的原因——它們能幫助我們看見事物，並且弄清楚事物的距離和深度。

　　說到這裏，視覺究竟是怎樣工作的呢？我們先來整理一下眼睛的結構——在眼球最外層的是眼角膜，眼角膜之下有虹膜和瞳孔，在瞳孔後面還有晶體，而視網膜就在眼球壁的最內層。

　　在有光線的情況下，我們的眼睛會把視線焦點放在一件東西上面，比如窗台上的花盆。

貓頭鷹告訴你

　　即使是同一件事物，人類和動物看到的顏色也是不同的。例如貓只能看見白色、黑色、藍色、綠色，以及不同深淺的灰色。不過，在夜裏或黑暗的地方，貓能看得比人類更清楚。這是因為在牠們眼球裏的視網膜後面，有一個能反射光線的區域，即使是極微弱的光線也能反射出來。難怪在黑暗中，貓咪的眼睛看起來閃閃發亮呢！

眼球裹的晶體讓我們把視線聚焦在物體上，也就是眼前的花盆，並把花盆的圖像縮小和翻轉。倒過來的花盆圖像進入眼睛，通過晶體後，會抵達視網膜，而視網膜就會把所有從外部傳送進來的視覺信息錄影起來，例如花盆的形狀、大小、顏色，以及所有能幫助我們理解眼前這個物體的資訊。

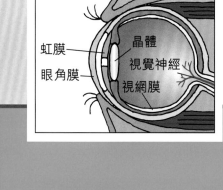

虹膜
眼角膜
晶體
視覺神經
視網膜

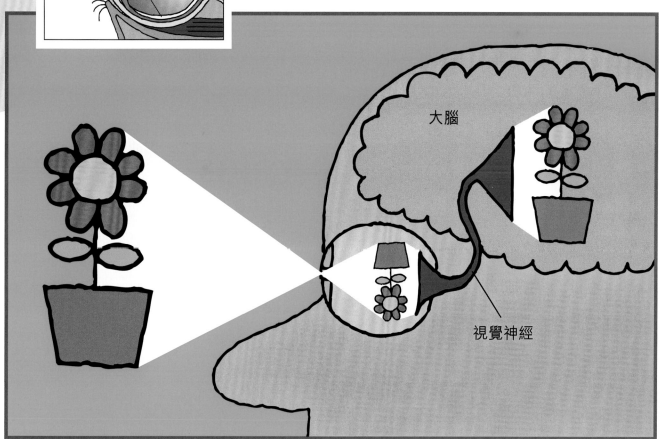

大腦

視覺神經

接着，視網膜把這些信息通過視覺神經傳遞給大腦，大腦再把花盆圖像變回原來的方向。直到這個時候，我們才叫看見了那個花盆。

試想想，這麼多的步驟，居然能在極度短暫的時間裹發生和處理完畢，是不是很厲害呢？

在我們臉部的皮下和表面，有幾個眼睛的好伙伴，
能幫助它工作得更好。

在眼眶附近的皮膚下面，有一
些能夠分泌眼淚的淚腺。眼淚有助
保持眼球濕潤、清潔眼球。

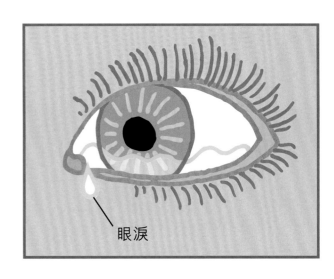

眼淚

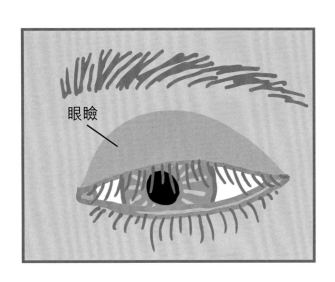

眼瞼

在臉部表面，眼瞼也起着和
眼淚相同的作用，每次眨眼（主要
是上眼瞼不停地落下和抬起）都是
在清潔眼球，目的是防止眼睛乾
燥，並掃除髒東西。

臉上的眉毛和眼睫毛也是很重
要的，它們能阻止汗水和其他東西
進入眼睛。

能夠有這些幫助保護眼睛的好
伙伴，真是好極了！

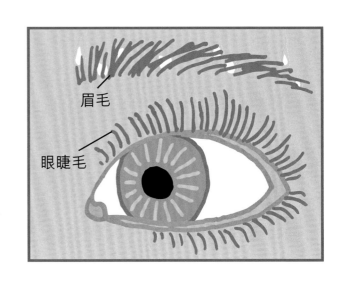

眉毛

眼睫毛

不過，我們自己也應該成為眼睛的好伙伴。一定要記住，不要做一些對眼睛有害的事，例如長時間盯着強烈的光線，尤其不能對着太陽看（這當然包括電子產品的屏幕！），或是用髒手去揉眼睛。這樣做很有可能會傷害到眼睛，或是使眼睛生病。

貓頭鷹告訴你

要保持眼睛健康，我們還可以在飲食方面着手，比如多吃胡蘿蔔。這是因為胡蘿蔔含有胡蘿蔔素（可經由人體轉化成維他命A），對視力大有好處。

人類發明了許多工具，讓我們的眼睛能看到平時用肉眼看不清楚、甚至看不到的東西，超越視覺極限。這些工具包括：用來觀察細小物品或事物局部的放大鏡、幫助我們研究微小物體的顯微鏡、觀測遙遠物體的望遠鏡，還有天文望遠鏡。

　　幸好有了天文望遠鏡，我們才能觀測到遙遠的太空裏的不同星球。能夠清楚地看見那麼多星星，探索宇宙的秘密，這是多麼美好呀！

　　可是，我們的眼睛會有「故障」，使我們的視覺出現問題。有些人看不清近處的東西，有些人就看不清遠處的東西，還有些人因為看電視看得太多，或者長時間使用電子產品，使眼睛很疲勞，並出現視力問題。在這些情況下，佩戴眼鏡就顯得格外重要了。

　　還有一些人，他們什麼也看不見，只能運用另外四種感官了解身邊的事物，這是多麼困難和不方便啊！

貓頭鷹告訴你

　　如果我們的眼睛不舒服，可以去找眼科醫生。眼科醫生的工作包括為病人檢查眼睛、提供治療，甚至做眼科手術。除此之外，還有一種「眼睛護理人員」，那就是視光師。他們多在眼鏡店、政府的母嬰健康院、學生健康服務中心等地方工作，為我們檢查和評估視力、護理眼睛等。

現在就讓我們回顧一下，看看視覺是怎樣工作的吧！
請你根據下面的圖畫說説看。

1 我們用什麼來看東西呢？

2 視覺是怎樣工作的呢？

3 眼睛很不舒服，幸好有小伙伴一起保護眼睛！

④ 哎呀，很刺眼啊！這可是危險的事！

⑤ 怎樣可以看清楚微小的東西呢？

⑥ 怎樣可以欣賞到遙遠的星星呢？

詞彙解釋

感官 感覺器官的簡稱，使我們能夠感受到外部世界的刺激。除了視覺，我們還有嗅覺、味覺、聽覺和觸覺，一共有五種，又稱為五感。

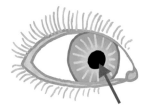

瞳孔 眼睛裏虹膜中央的小孔，是光線進入眼睛的通道。它可以根據光線的強弱而放大或縮小，調節進入眼睛的光線強度。

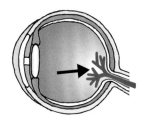

視覺神經 負責把信息從視網膜傳到大腦的神經。

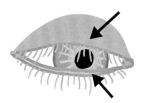

眼瞼 也叫眼皮，分為上眼瞼和下眼瞼，合攏後會覆蓋住眼睛的外部。眼瞼眨動時有助清潔眼球。

顯微鏡 幫助觀察微小物體的儀器，一般可以把事物放大一百至一千倍。

眼鏡 戴在雙眼前面，用玻璃或塑膠等材料製成鏡片，用來矯正視力或是幫助阻擋太陽光線。

觸覺與聽覺

　　這天上午，幼稚園老師讓孩子們玩了兩個遊戲。第一個遊戲叫「神秘口袋」。老師在這個口袋裏放了許多不同形狀、不同材質的東西。孩子們不能用眼睛看，只能用手去摸，看看能不能猜出自己摸到什麼東西。第二個遊戲叫「聲音競猜」。錄音機裏先後播放出多種聲音，大家得猜猜那是什麼東西發出來的聲音，然後在卡片上找出正確的答案。老師說，這兩個遊戲是專門用來鍛煉觸覺和聽覺的。

　　你知道觸覺和聽覺是怎樣工作的嗎？趕快翻到下一頁看看吧！後面的有趣圖片可以幫助你弄清楚這個問題。

　　每次我們的身體碰到一樣東西，包括人、動物和其他東西，又或是這些事物碰到我們，我們身體裏都有一種感官要採取行動，那就是觸覺。

　　觸覺相當重要，因為它能讓我們了解事物的形狀、質料、溫度等等。當祖母用手輕輕撫摸我們的時候，它會告訴我們這可以是高興的事；當我們穿着一件硬邦邦的毛衣時，它會告訴我們這是不舒服的感覺；當有東西很熱、很燙的時候，它會警告我們要小心；當有東西刺中我們或是弄傷我們時，它又會讓我們感到疼痛。看見了嗎？觸覺無處不在，而且無時無刻都在工作，我們怎能少了觸覺呢？

　　除了我們的手和腳，你知道身體上還有哪些地方會有觸覺嗎？對了，其實觸覺可以在我們身體所有部位出現，因為它分布在我們的皮膚上，而人體的皮膚覆蓋住我們的全身，面積可達兩平方米。所以我們可以說，觸覺是五個感官之中最「大」的！

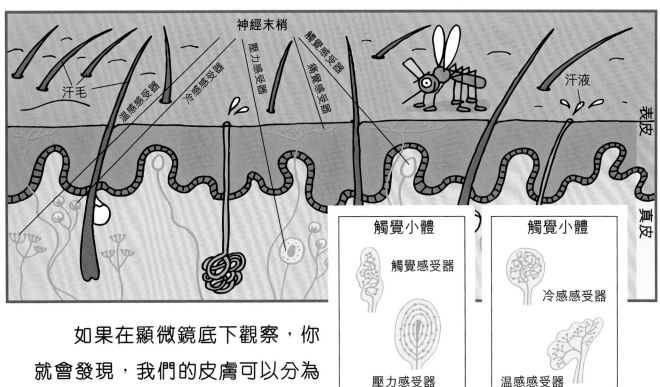

汗毛　溫感感受器　冷感感受器　壓力感受器　神經末梢　觸覺感受器　痛覺感受器　汗液　表皮　真皮

觸覺小體
觸覺感受器
壓力感受器

觸覺小體
冷感感受器
溫感感受器

　　如果在顯微鏡底下觀察，你就會發現，我們的皮膚可以分為兩層：表皮和真皮。

　　表皮是皮膚表面的部分，沒有知覺，因為它是由許許多多已死的細胞構成的。與表皮相比起來，真皮更具彈性，也更有活力，這裏無時無刻都在製造新的細胞。真皮裏面有不可勝數的神經末梢，也稱為「觸覺小體」，是真正的觸覺器官。觸覺小體的形狀可分好幾種，各有不同的任務：有的負責感受觸覺，有的負責感受壓力，還有的負責感受溫感、冷感和痛覺。

貓頭鷹告訴你

　　趕快來測試一下你的觸覺吧！你先蒙上眼睛，然後讓幾個小伙伴排成一行，你只能用雙手來觸摸他們每一個人的臉，猜猜他們是誰。遊戲過程中不能說話，不許提示！看看最後誰能猜中最多吧！

我們觸摸一樣東西的時候，真皮裏的觸覺小體就會接收信息，並通過神經把這些信息發送給大腦。大腦會把收到的信息轉變為一種觸感，這樣就能讓我們知道，原來玻璃是光滑的，樹幹是粗糙的，石頭是堅硬的，枕頭是柔軟的，冰塊是寒冷的……

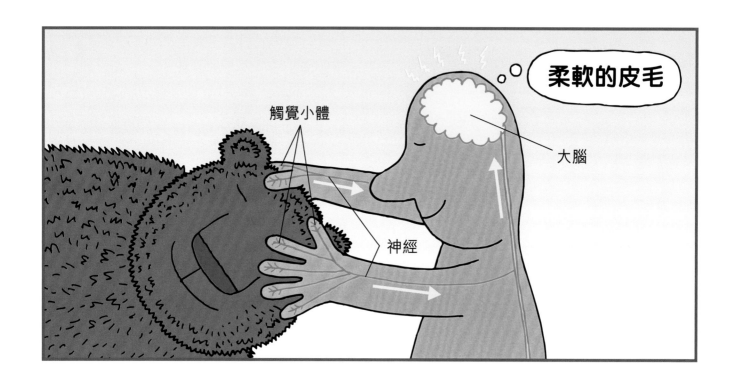

柔軟的皮毛

觸覺小體

神經

大腦

從我們出生的那天起，大腦就在不斷儲存它接收到的信息，並把它們分成「好」和「壞」，便於識別。這樣，它就能在很短的時間裏決定將要採取的行動，然後把指令傳達給身體。例如在踏進冰冷的水裏時，它會讓腳趕快離開；在摸到尖銳的釘子時，它又會讓手趕快縮回去；在捕捉螢火蟲的時候，它會讓手盡量溫柔些；在抓皮球的時候，它又會讓手用力些。

　　大腦裏接收觸感信息的區域分成好幾個部分：有接收從雙手傳來的信息的，有接收從面部傳來的信息的，有接收從雙腿傳來的信息的……不過，並不是身體上的所有部位都具有相同的感覺能力。

　　最敏感的部位是雙手、雙唇以及舌頭，因為它們都擁有數量龐大的神經末梢，而大腦中負責從這些器官接收信息的區域也相對較大。此外，有一些部位會對疼痛特別敏感，另一些則較容易感覺到冷熱變化等等。

貓頭鷹告訴你

　　人類借助皮膚來接觸和探測周圍的事物，那麼動物呢？原來蝸牛是用頭上的觸角來探知身邊的事物的，蜜蜂則用觸角來量度蜂窩大小，還有蜘蛛，牠們居然用絨毛來探測環境！

現在，我們來說說另一個重要的感官——聽覺。聽覺使我們能夠聽見四周人的說話聲、鳥兒的啼叫聲，當然，還有汽車和火車發出的噪音。

　　聽覺日夜不息地工作，使我們和這個世界產生聯繫，並慢慢地認識這個世界。如果遇到危險，比如正朝着我們快速駛過來的汽車，耳朵接收到汽車發出來的聲音並傳給大腦之後，大腦辨識到這是危險的情況，就會向我們發出警告，叫我們要躲開它。

　　與聽覺有關的器官是耳朵，它分為外耳、中耳和內耳三部分。外耳包括耳廓和外耳道，中耳和內耳則在耳朵裏面，受到保護，同時也更為複雜。

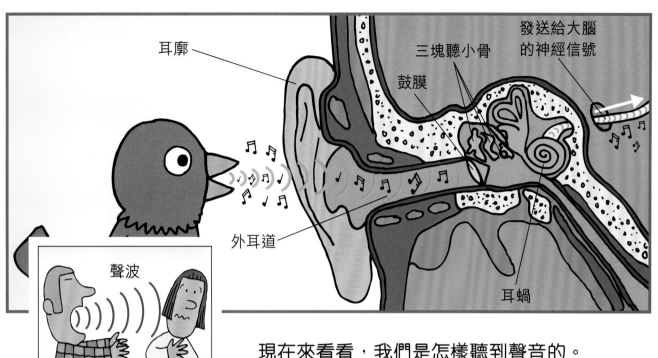

耳廓
三塊聽小骨
鼓膜
發送給大腦
的神經信號

聲波

外耳道

耳蝸

現在來看看，我們是怎樣聽到聲音的。

首先，長得像漏斗的耳廓會收集空氣中的聲波振動，收集到的聲波會通過一條叫外耳道的狹窄「走廊」進入耳朵。

接着，聲波敲擊外耳道裏頭的鼓膜，也就是一層很薄很薄的膜。鼓膜振動的時候，就將聲波傳遞給後面的三塊聽小骨，之後再傳到耳蝸。這時，耳蝸會把聲波轉換成神經信號，發送給大腦。

大腦收到這些信號之後就會加以分析，然後告訴我們這是什麼聲音，例如是媽媽的說話聲、小鳥的唱歌聲，還是汽車的噪音等等。

貓頭鷹告訴你

如果一個人聽不見聲音，那麼他往往也說不出話，或者發音有困難。於是，他會改用一種特殊的語言——手語。如果你有朋友是聾啞人士，那就請你試試學習這種語言，然後用手語和他溝通。學會手語，就好像多了一種感覺器官呢！

你有沒有想過，為什麼我們有兩隻耳朵，而不是一隻呢？

這是因為我們要知道聲音究竟是從哪裏傳來的。事實上，我們的大腦十分靈敏，可以判斷出聲音到達我們左、右兩隻耳朵所需要的時間相差多少，從而確定聲源的位置。

不過，我們的耳朵並不能感知所有的聲音，例如過於低沉或者過於尖銳的聲音，我們就無法聽到。而在這一方面，動物又一次勝過我們——海豚、虎鯨、狗，還有蝙蝠，牠們都能感受到超聲波。這是一種頻率極高的聲波，超出人類可以感受到的頻率範圍。

此外，許多動物還能迅速判斷到聲音是從哪裏傳來的，並把耳朵轉向那個方向。你有沒有見過，房門突然砰地關上，一隻貓咪會將耳朵快速地轉向房門的方向呢？真的很有趣呢！

　　我們的耳朵很脆弱，如果長時間暴露在強烈的噪音之下，聽覺就極有可能遭受損傷。正因如此，人們如果需要在噪音環境下工作，就得戴上耳塞或是特殊的耳機，保護耳朵。

　　你自己也得注意啊，不要在吵鬧的環境裏逗留太久，也別總讓噪音包圍你！有時，你該去安靜的地方多待一會兒。要知道，你的聽覺是很珍貴的！

貓頭鷹告訴你

　　在內耳裏面，有一個叫做半規管的部分。它由三根管道組成，管道裏還有一種液體，就是我們俗稱的「耳水」，有助維持我們身體的平衡。如果你像個陀螺一樣不停轉圈，然後停下來，這時你仍會感到頭暈目眩，因為你的身體雖然停下來了，但耳朵裏的耳水仍然在旋轉。

現在就讓我們回顧一下，看看觸覺與聽覺是怎樣工作的吧！請你根據下面的圖畫說說看。

4 我們用什麼來聽聲音的呢？

5 聲音是怎麼傳到大腦的呢？

三塊聽小骨　發送給大腦的神經信號

耳蝸

鼓膜

外耳道

耳廓

6 為什麼我們會有兩隻耳朵呢？

詞彙解釋

沒有知覺 身體某些部位感覺不到來自外部或內部的刺激。

神經末梢 神經的尾端。信息通過它傳到大腦,它也可以將大腦下達的指令傳遞給身體各個部位。

聲波 能夠傳遞聲音的微小波浪,一般在空氣中傳播。

膜 一層像薄皮一樣的東西。

聲源 聲音的來源,發出聲音的物體。

頻率 聲波每秒振動的次數。

新生命的誕生

今天，馬可和媽媽一起去火車站迎接露琪亞姨姨。姨姨在西班牙待了好幾個月，現在終於回來了。馬可又興奮又期待。

終於，他看見姨姨從火車上走了下來。咦？怎麼回事呢？姨姨居然挺着個大肚子！她以前不是這樣子的。馬可疑惑地看了看媽媽，媽媽告訴他：「姨姨的肚子裏有個孩子。姨姨真是給了我們一個大驚喜！」馬可聽了還是不明白……

肚子裏的孩子？什麼意思呀？而且，這孩子要怎樣才能從肚子裏出來呢？你也想知道嗎？趕快翻到下一頁看看吧！

一個新生命的誕生，一般需要一男一女的結合，比如一個男人和一個女人，一隻公雞和一隻母雞，一隻公狗和一隻母狗……這樣，地球上的生物能夠繁衍後代，生生不息。

貓頭鷹告訴你

為了生存和使種族延續下去，生物都有創造新生命、生育下一代的願望，蜘蛛當然也不例外！雄性蜘蛛為了吸引雌性蜘蛛與自己生育下一代，有的會在雌性蜘蛛面前跳舞，也有的會用美食引誘。雖然雄性蜘蛛通常會被拒絕很多次，才能找到適合的伴侶，但他們為了繁殖，是不會輕易放棄的。

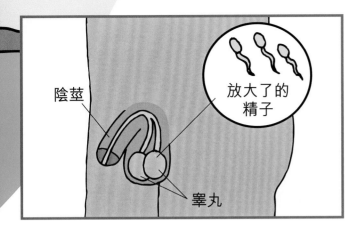

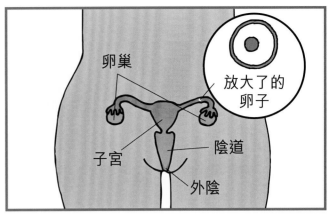

　　一個孩子的生命是從一場美妙的相遇開始的，相遇的雙方分別是爸爸的種子——精子，以及媽媽的種子——卵子。精子住在睪丸裏，而卵子則住在卵巢裏。這兩種種子會在媽媽的肚子裏來一場奇妙的相遇。當它們相遇和結合之後，一個新生命就會在媽媽的肚子裏慢慢形成、生長。

　　那麼，它們是怎樣相遇的呢？它們相遇之後，會發生什麼神奇的事呢？

爸爸的精子會從媽媽的陰道進入子宮裏面。這時候，媽媽的卵子並沒有早早出來迎接，而是等待精子自己找過來。

　　卵子一般只有一顆，但精子的數量卻高達好幾百萬！於是，這麼多的精子進入陰道之後，會爭先恐後地去尋找卵子，可以說是一場速度競賽。不過，到最後只有一個精子能夠與卵子結合。當它們結合時，就出現了受精的現象。

　　卵子受精之後，就變成了受精卵。這時，它會緩慢地滑進子宮，找個適合的地方住下來。子宮就像一個柔軟的袋子，而一個孩子的生命，就是在這個袋子裏開始的。

卵子周圍
的精子

子宮

卵子

精子

卵巢

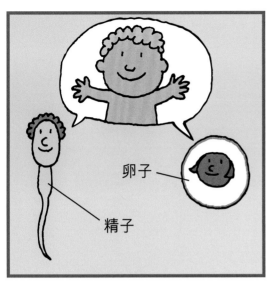

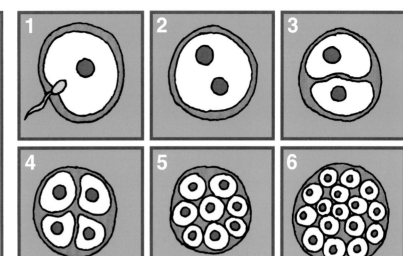

卵子

精子

男性的精子和女性的卵子其實都是人體裏的細胞，它們都帶着爸爸或媽媽的特徵，這些特徵會影響一個新生命的構成，例如性別、身高、鼻子的形狀、眼睛和頭髮的顏色等等。所以，孩子的身上會有一部分像媽媽，也會有一部分像爸爸。

受精卵會逐漸分裂成兩個細胞、四個細胞、八個細胞、十六個細胞……懷孕就是這樣開始了。之後大約四十個星期裏面，胎兒（我們不再叫他受精卵了！）會在媽媽的肚子裏慢慢長大，並得到嚴密的保護，而媽媽的肚子呢，也會跟着他一起變大！

貓頭鷹告訴你

有時候，還會發生這樣神奇的事：同一顆受精卵有機會分成兩半，變成兩個胎兒，這兩個孩子的樣貌非常相似，我們會叫他們做雙胞胎。另一方面，雖說媽媽的卵巢只會派出一顆卵子與數量繁多的精子見面，但有些時候，媽媽可能會派出兩顆卵子，而這兩顆卵子又同時受精，這就會孕育出兩個有點相似卻又不完全相同的雙胞胎來。

無論是哪一種情況，他們的爸爸媽媽都會迎來雙倍的喜悅！

　　在媽媽的子宮裏，胎兒生活在一個充滿液體的環境裏面。他還不會自己喝牛奶、吃飯，要通過自己肚子上的臍帶，接收由媽媽傳給他的食物、空氣、營養等等。臍帶是一根長長的管子，把胎兒與胎盤連接在一起。

　　別看胎兒在媽媽的肚子裏面好像沒有什麼活動空間，他可以做的事多着呢！他可以活動手腳、伸懶腰，甚至能翻筋斗！他還學着辨別爸爸和媽媽的聲音，周圍環境的聲音，還有媽媽的身體所發出的聲音，例如心跳、呼吸，還有胃裏的咕嚕聲。

　　雖然我們光看媽媽的肚皮，並不能看到胎兒，但是我們可以用其他方法來觀察他的成長過程。

第一個月 第二個月 第三個月 約四十個星期

  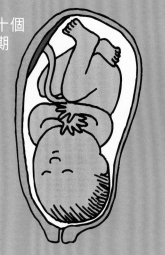

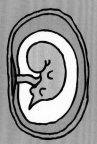
胎盤　　　臍帶

通過超聲波檢查，你可以看到胎兒在第一個月的時候只有大約四毫米長，但這時候，他的心臟已經在跳動了；第二個月時，你可以看到一個大大的腦袋，與此同時，他的手和腳已經開始活動了；到了第三個月，你能看到這個長約七厘米的小胎兒基本上已完全成形。直到大約四十個星期的時候，你會發現他已經長到了約五十厘米，而且腦袋由原本向上改為向下，這表示他已做好準備要出生了！

一個原本只有丁點兒大的受精卵，竟長得這麼大了，真神奇！

貓頭鷹告訴你

你知道大象寶寶需要在媽媽的肚子裏待多久才出生嗎？這可能要長達兩年呢！另一方面，對小老鼠來說，三個星期就已經足夠。至於大猩猩，大約九個月，也可說是大約四十個星期，跟你一樣呢！

2年

在懷孕大約四十個星期的時候，媽媽會感覺到一陣陣的宮縮，肚子一陣一陣地痛。這是肚子裏的孩子發送給她的明確信號——他已經迫不及待要來到這個世界啦！

這時，爸爸會帶媽媽去醫院，因為那裏有醫生和助產士幫助她把孩子生出來。可是，千萬別以為個個孩子都能立刻出生啊！不是每個媽媽分娩時都能夠迅速完成的。這個過程可能會持續好幾個小時、一整天，甚至是好幾天。

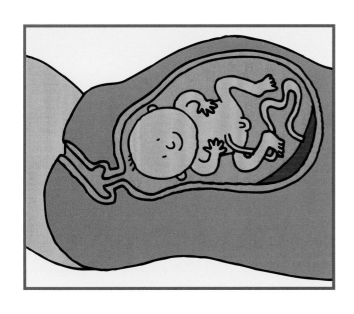
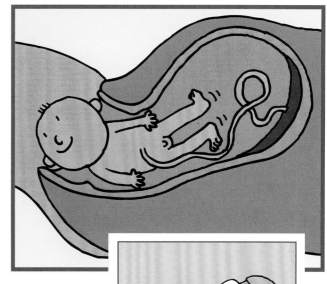

　　媽媽生孩子的時候真的很辛苦，除了肚子會很痛很痛，她還得使出全身的力氣，用力把胎兒推出她的身體。

　　嬰兒出生後，就要用自己的肺部呼吸，他吸入肺部的第一口空氣會刺激到他，使他哭了出來。這時，醫生會把臍帶剪斷，因為孩子已經不再需要它了。助產士幫嬰兒抹乾身體，檢查嬰兒的狀態，之後就會把嬰兒交給媽媽。而那個剛出生的孩子呢，則會本能地尋找媽媽的乳房，吮吸乳汁。

　　嘿！歡迎來到這個世界！

貓頭鷹告訴你

　　肚臍是我們身體上一個有趣又神秘的部位。其實它是一個小小的疤痕，一輩子提醒着我們：當我們還在媽媽肚子裏的時候，那裏曾經有臍帶，把我們和媽媽連接在一起。

現在就讓我們回顧一下，看看一個新生命的誕生，會
經過哪些重要的階段吧！請你根據下面的圖畫說說看。

醫院

產房

受精　精子和卵子相遇，並結合成受精卵的過程。

細胞　組成每一個生物的微小單位。精子和卵子都是人體的細胞，它們帶有染色體，這些染色體可以帶有生物的特徵。

胎盤　連在子宮上的海綿狀組織，像一個圓餅，通過臍帶向胎兒輸送他成長所需的糖分、氧氣與蛋白質等。

超聲波檢查　媽媽在生孩子之前的檢查，利用一台能夠發出超聲波的儀器來檢查胎兒、胎盤、子宮等。

宮縮　即子宮收縮，是子宮肌肉的一系列動作，要將胎兒推出媽媽的身體，所以也視為胎兒將要出生的重要信號。

助產士　為使新生兒能夠健康出生，在媽媽懷孕、分娩、產後等不同階段給予幫助和建議的人。

生命的不同階段

下面是一幅家族關係圖，也就是講述一個家族歷史的圖畫。從圖畫的最下面往上看，畫面中央是一個坐在嬰兒車裏的嬰兒；在他的上方，左邊那個人是他的媽媽，右邊那個人是他的爸爸；再往上數，你又能看到他的外祖父、外祖母、祖父、祖母，還有外曾祖父、外曾祖母、曾祖父、曾祖母……

在圖畫以外還可以繼續數上去，那些都是這個家族的祖先，也就是在很久很久以前建立了這個家族的人們。

他們每一個人都擁有自己的生命，每一個人都是從出生開始，慢慢走向衰老。如果你想了解更多，就趕快翻到下一頁看看吧！

剛出生時

一歲時

　　剛出生時，嬰兒要依靠別人照料，因為光憑他一個人，是根本沒法活下來的。他要吮吸母乳來獲得營養，他要睡很長時間，還因為常常弄髒衣服而要換好幾套衣服。他會越來越重，也越來越高。

　　隨着身體的成長，他的能力也會不斷增強，例如眼睛可以認出周圍的人來；雙手能夠抓起玩具，有時還把它們塞進嘴裏；嘴巴會發出嚶嚶呀呀的聲音，而且陸續長出第一批叫做乳齒的小牙齒。漸漸地，他能自己坐着，學會用手和腳在地上爬，甚至學會了站立（可能還有點搖晃）。媽媽離開他身邊時，他會哇哇大哭；如果有人和他一起玩耍，他又會哈哈大笑。

　　雖然他剛出生的時候什麼也不會，但是他出生後不斷學習，不斷進步。看！到了一歲的時候，他已經能吃糊狀的食物，還有水果了。他還能說些簡單的詞語，甚至開始蹣跚學步。就這樣，他不斷探索着新的空間，不斷研究新的事物，不斷學習新的技能……總而言之，對於這個世界，他好像已經有一點點概念了。

三歲時

六歲時

三歲的時候，孩子的身高已經是出生時的兩倍了。他能飛快地奔跑，還長出了好多顆牙齒，可以自己吃飯；他不再需要那麼多的睡眠時間，說話也更流暢，可以表達喜好、想法和情緒等等。

到了六歲，他已經能跑能跳、能騎自行車了，還可以畫出美麗的圖畫，唱出幾首歌曲，並且開始上小學。在這個階段，他的乳齒開始掉落，掉牙後會重新長出恆齒。這時候，他仍然一邊學習，一邊增強自己的能力。

貓頭鷹告訴你

一般來說，大家在生命不同階段的發展其實是大同小異的，然而，我們每一個人的生命又是獨一無二的。這不僅是因為我們擁有不同的性格和能力，而且還會受到生活環境的影響。要知道，住在喧鬧的都市和住在沙漠附近的村莊，可完全是兩回事呢！

大約在十一歲的時候，青春期便開始了。
這個階段會持續好幾年的時間。

這時，不僅是身高，我們身體上的好多部位也會發生明顯的變化！我們的骨骼會增長，使我們長高，手腳會變大，顧骨會拉長，皮膚會跟以前不同，身體需要的營養也變多了。要知道，這個年紀的孩子，通常都會像頭餓狼一般！

此外，還有一些只會出現在男孩身上，或者只出現在女孩身上的變化。女孩的胸部會變大，腋下和生殖器官附近會長出細小的汗毛。而男孩呢，肩膀會變寬，聲音會變得低沉，還會長出汗毛和鬍子。這些變化會慢慢地發生，到差不多十六歲的時候，他們的外貌就和一個成年人差不多了。

貓頭鷹告訴你

在非洲，當一個孩子快要進入青春期時，大人就會為他準備一些儀式來考驗他，目的是向所有人證明，這個孩子已經具備了成年人應有的能力，算得上是大人了。

青春期也叫做叛逆期，因為在這一時期，青少年開始重視自己的想法，不想事事聽從父母或長輩的話，甚至對世界有新的看法，想嘗試改變這個自己生活的世界。

　　他們會變得更加自主，會主動結交朋友，試着接觸全新的天地和截然不同的生活方式，也可能會喜歡上到處旅行，親身去認識和探索這個世界。

　　他們又開始思考自己將來想要從事的職業。為了日後能夠成為一名航天員，又或者是醫生、記者、科學家、教師等等，他們會選擇相應的科目來學習。雖然到他們真的長大成人時，這些想法可能已經改變了，又或者無法完成他們曾經想去完成的事，但不管怎樣，這個階段總是充滿各種夢想和期待的。

　　工作是成年人生活中不可或缺的部分，工作意味着自我考驗，意味着認識陌生人並與他們開展合作。在這一階段，大家都會爭取機會發揮所長，並努力達成自己心中的目標。

　　當我們成年之後，身體不像以前那樣長得快，並會在很長的一段時間裏保持不變。但是漸漸地，一些皺紋悄悄爬上你的臉龐，頭髮也會逐漸變成灰白色，這些變化都是在不知不覺中發生的！

　　在這個階段，保持身體健康非常重要，我們可以多做運動，經常到戶外散步，更重要的是注意飲食，尤其是不要暴飲暴食，因為這樣對健康百害而無一利！此外，定期接受身體檢查也是必要的，這有助我們更好地了解自己的身體狀況。

在工作上，無論男女，只要有能力，都可以做一樣的工作、擔任一樣的職位。不過，努力工作之餘，我們也要照顧好自己的家庭。

我們或是獨自居住，或是與父母同住，又或是與自己心愛的人組織一個新的家庭。兩個人結婚之後，很多人都會選擇生兒育女，也有的人選擇領養。每個人都會選擇一個自己認為合適的方法來生活。

孩子的到來會給生活帶來巨大的變化，把兒女撫養長大可是一項長期而偉大的事業，因為這不僅意味着要照顧他們的生理需要，還要照顧他們的心理發展，並給予他們莫大的愛。在教育孩子的同時，我們也會把價值觀傳承給他們，對他們影響深遠。

貓頭鷹告訴你

當我們進入職場工作，為事業奮鬥的時候，很多人都會被數之不盡的瑣事包圍，每一天都過得很忙碌，每一日都有很多煩惱：房子、工作、孩子等等。可是，別忘記留一點時間給朋友，或是學習一門興趣，這也十分重要，因為這會使我們的生活變得更加快樂和幸福！

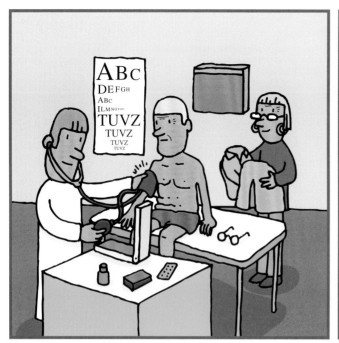

　　隨着時間的流逝，我們的身體又開始發生變化：視力會衰退，頭髮會變白，皮膚會出現皺紋，有時連牙齒也會掉落，還會出現不同的疾病，睡眠時間會大幅減少，健康狀況比年青時差得多了。這說明我們進入了下一個生命階段——老年期。

　　在這個階段，我們要更加重視自己的身體，勤做身體檢查，因為我們得知道哪些器官或身體部位的運作出了問題，才能對症下藥，好好地照顧它們。此外，做運動和注意飲食仍然是幫助我們保持身體健康的有效方法。

　　不少人經過長年的努力工作之後，選擇在這個階段退休，讓自己享受閒暇。不過，退休生活也可以是很忙碌的。有些老人會參加進修課程，學習新的東西，或是與朋友聚會、下棋、跳舞、去旅行等等，節目可多呢！

有人由成年踏入老年，同時也會有人由青年變為成人。年老的父母看見子女長大之後，能快樂地生活、努力投入工作、組織自己的家庭，也會感到萬分高興。接着，孫子孫女們又誕生了。生命不斷地延續，也在不斷地循環。在孩子們的身上，他們會看到自己的影子，而生活彷彿又從頭開始了。

可是，生命終有一天會走到終點。畢竟人類和其他生物一樣，不可能永遠地活着。到了要離去的時候，生命的周期也要劃上句號。而活着的人，會把過去的回憶和逝者的教導珍藏在心裏。

許多人相信，人類的死亡並不代表永遠消失，而是去了另一個不同的地方，繼續生活。

貓頭鷹告訴你

在老年階段，人們對近期事物的記憶會逐漸衰退，而對於年輕時的回憶卻越來越深刻。也就是說，過去的事會比現在的事記得更清楚、具體。因此，你會發現，爺爺、奶奶能夠很清晰地講述那些發生在很久以前的事。

現在就讓我們回顧一下，看看在人的一生中有哪些重要的階段吧！請你根據下面的圖畫說說看。

詞彙解釋

照料 關心、照顧別人。

生殖器官 生物用來繁殖後代的器官,男性和女性各有不同。

自主 有自己的想法,獨自完成一件事,不需要其他人的幫助或干涉。

身體檢查 對身體不同部分作檢驗、評估,以了解身體的健康狀況,如發現問題可及早處理。

領養 將別人所生的孩子領過來自己的家庭,當作自己子女一般撫養。

價值觀 一個人對人生、事物的看法或評價等。

健康的身體

看看下面圖畫中的小朋友都在做些什麼呢？有人在刷牙，有人在游泳，有人在洗澡，有人在喝牛奶……他們所做的事，全都是對身體健康有益的。

正如你所看到的那樣，為了保持身體健康，我們每天都要完成好多好多的任務。

你有沒有花時間和精力去照顧自己的身體呢？趕快翻到下一頁看看，你會發現有哪些事是你應該去做的，哪些是你應該盡量避免的。

保持身體清潔，是保持健康的第一步。要知道，髒東西幾乎無處不在，而且會導致各種各樣的疾病。

　　皮膚就如我們身體最外面的衣服，它會直接和灰塵接觸，所以很容易弄髒。如果再加上濕漉漉的汗水，就會渾身變得黏糊糊的，十分難受。衣服髒了就要洗，同樣地，我們的皮膚也需要清洗，洗澡就是其中一個方法。

　　皮膚還會受到真菌、病菌的攻擊。這些東西在浴室的地板上尤其常見，如果赤腳走進浴室，就很容易感染真菌或病菌。為了避免受到它們的攻擊，請記得穿上拖鞋！

　　還有，我們的指甲也會因為不斷地接觸外物而變髒，甚至在指甲邊留下一道黑色的污垢。這些污垢裏面隱藏着許多微生物，可能會使你生病。因此，勤剪指甲，保持指甲清潔，都是非常重要的！

我們的頭髮也很容易變髒。頭髮除了接觸到空氣中的灰塵而變髒，還會因為頭皮分泌出來的油脂，在一段時間之後，使頭髮顯得油膩。所以，我們要用香皂或者洗髮水來洗頭。

有時候，我們的頭髮裏還會出現令人厭煩的小動物，它們叫做「頭蝨」，會弄得頭皮陣陣發癢，甚至難以忍受。記得經常讓媽媽替你檢查，確保你的頭髮裏沒有這些討厭的東西！

另一方面，牙齒也需要清潔，而且每天都要！如果食物碎屑殘留在牙齒上，會使牙齒發黃，甚至出現蛀牙，這時候你就會因為牙痛而非常難受。所以，一定要保持牙齒清潔，一天至少刷牙兩次！

貓頭鷹告訴你

不單是人類，動物也會用不同方法讓自己變得乾乾淨淨的，例如貓咪每天都要舔自己的毛髮和爪子好幾次；猴子會互相捉蝨子；大象呢，則會用鼻子吸滿水，給自己的身體沖水洗澡。

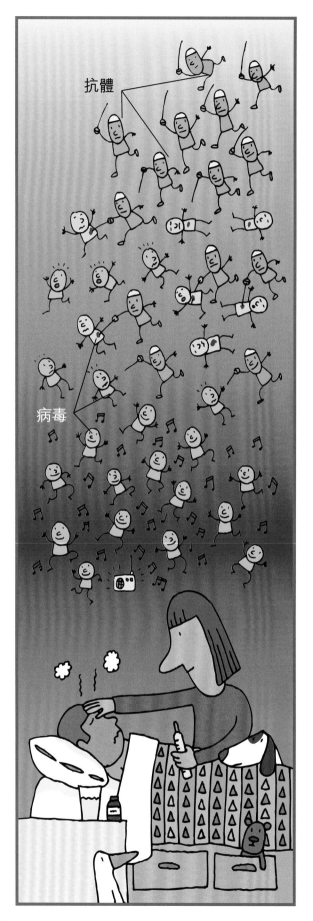

抗體

病毒

　　照顧好自己的身體，也就是盡量不讓它生病。當你的身體健康狀況良好時，你會充滿能量與活力，你的大腦能正常運作，心情自然也會舒暢。為了保持這種愉快感覺，你必須關心自己的身體，留意它發送給你的信號，比如身體有些地方會疼痛或是疲勞，那就是身體在跟你說，它不舒服，或者生病了。

　　我們會生病，大都是因為我們的身體接觸到病菌。病菌可能存在於空氣裏、在皮膚上、在我們摸過的東西上，或是在我們吃掉的食物裏。

　　病菌進入我們的身體之後，會攻擊身體裏的細胞，而我們的身體就會派出「自衞隊」——白血球來抵抗。白血球是血液裏的一種成分，能夠產生具有「戰鬥力」的抗體，幫助我們擊退病菌。發燒就是其中一種跡象，讓我們知道身體裏面開始了與病菌的「戰鬥」。當病菌被打敗之後，我們就可以康復了。

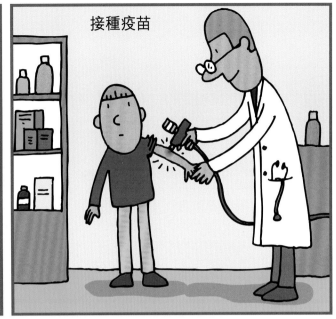

接種疫苗

水痘

感冒、流感這些常見的疾病會通過口水傳播開去。有時我們身邊的人只是打了一個噴嚏，或是咳嗽了一下，就有可能把細菌和病毒傳給我們，使我們生病！

有些疾病則不常出現，例如水痘和猩紅熱，通常一生人只會患一次，而且多數是在我們還小的時候。這類疾病也是由細菌和病毒引起的，它們會迅速在空氣裏擴散，從一個孩子傳到另一個孩子身上，所以是名副其實的傳染病！

不過，我們也不用太害怕。時刻保持個人衞生，注意清潔，有助避免患上傳染病。而且，醫生和科學家已研發出多種預防疫苗，並鼓勵我們在小時候就接種疫苗，減少患上某些疾病的機會。你知不知道自己接受過什麼疫苗注射呢？

貓頭鷹告訴你

如果你的膝蓋蹭破了皮，或是不小心劃破了皮膚，可以用消毒藥水來清潔和消毒，避免細菌入侵你的身體，造成感染。

　　想要有強健的身體，並且健康成長，飲食也是非常關鍵的因素。豐富而充足的營養能夠保持身體健康，並讓身體有足夠的能力可以隨時對抗疾病。世界上的食物種類繁多，而且有不同的營養成分，如果我們只吃某類型的食物，可能使身體吸收不到足夠種類的營養，造成營養不良，所以我們不應該也不可以挑食。

　　一些含有牛奶的食物，例如芝士、乳酪等，都含有豐富的鈣質，有助骨骼變得強健。而肉類、魚類、蛋類和豆類含有豐富的蛋白質，對我們身體細胞的生長極為重要。麵包、麵、馬鈴薯等則含有豐富的碳水化合物，能為我們日常活動提供能量。蔬菜和水果含有豐富的維他命、水分、礦物質和纖維素等，對全身都有益。特別是纖維素，它對我們腸道的活動非常重要。另外，牛油和橄欖油都含有脂肪，能夠使食物變得更加美味，但是你不想變成大胖子的話，還是少吃為妙！

水

有些食物，例如餅乾和巧克力是特別受孩子歡迎的，光是賣相已相當誘人。其實它們含有很多糖分，不宜吃得太多。

要有均衡的飲食，可以從一頓豐盛的早餐開始，然後在白天吃些含碳水化合物、蛋白質和鈣質的食品，也要有少量的脂肪。最重要的是，別忘了吃些水果和蔬菜。另外，記得要多喝水！你的身體很需要水分，如果沒有水，我們根本活不下去，因為身體的主要成分就是水，而且我們每天都會流汗與排出小便，也就是將水分排出體外。所以，記得為身體補充足夠的水分。

貓頭鷹告訴你

有些人為了健康而吃素，也就是多吃蔬果，不吃肉類，甚至不吃蛋類食物。不過，別擔心他們吸收不到足夠的蛋白質，因為豆類含有豐富的蛋白質，所以他們可以從豆類食物中攝取蛋白質，例如豆腐、豆漿等等。

有時我們吃東西可不只是為了維持生命和成長，還因為這是一件可以讓人身心愉快的事。

　　每個人都有不同的口味和飲食習慣，這與我們的生活習慣息息相關。有些人特別喜歡吃香口誘人的美食，例如薯條、糕點、熱巧克力等等。可是這些食物使我們容易變胖，而且不容易消化，所以不應該多吃。另外，果汁和碳酸飲料也不能多喝，因為它們的糖分非常高。

　　吃東西能夠讓人高興，所以在不知不覺中，我們很容易吃得太多。這樣一來，我們的胃也會習慣被塞滿東西。這對身體是非常不好的。事實上，每一種食物都有特定數量的卡路里，而我們可以參考這個數字，衡量自己每日吃東西時攝取的卡路里是否足夠，或是過多。

根據營養學家的建議，
我們選擇食物時可以參
考這樣的比例：

吃得最少

甜點

蛋類

肉類

魚類

奶類食物

吃得最多

水果

蔬菜　橄欖油

米飯　　　　麵

麵包

馬鈴薯　　豆類

平均每日的卡路里
建議攝取量（千卡）　　約2,700

約2,600

約1,900

7歲　　14歲　　18歲以上

　　一個人每天會消耗多少卡路里，就視乎他的年齡、身高、體重、一天裏面的活動量等等。要知道，雖然我們每一個動作都可以消耗卡路里，但是我們做運動的時候消耗的卡路里數量，會比坐在沙發上的時候多。所以，想要消耗多些卡路里，保持健康，就應該多做運動，常去鍛煉。

　　你和你的家人有做運動的習慣嗎？沒有？趕快建議他們少開汽車，少看電視，多和你一起外出散步吧！

貓頭鷹告訴你

　　一般來說，人們一日吃三餐便足夠了。那麼，動物要吃多少頓飯呢？原來，熊貓差不多每一刻都在吃東西，狗一天可以只吃兩頓，壁虎可以每四天進食一次，而海象呢，在冬天的時候可以好幾個月不吃東西呢！

現在就讓我們回顧一下，看看要保持健康的身體，
應該採取哪些行動吧！

1 清潔的身體就是健康的身體！

2 當你生病的時候，在你的身體裏面可能正在進行一場激烈的戰爭……

3 接種疫苗能幫助我們預防嚴重的疾病！

④ 均衡飲食能使我們的身體更加強壯。

過多的卡路里

我們不會暴飲暴食！

⑤ 為了保持健康，我們不應攝取過多的卡路里。

薯片

⑥ 還要經常做運動，例如散步、跑步和騎自行車。快放下你手上的薯片！

詞彙解釋

病菌　一種細菌，能使人或其他生物生病。比病毒略為大一點。

白血球　血液裏其中一種血細胞，呈圓形或橢圓形，能殺死病菌，幫助對抗疾病。

抗體　由於病毒的入侵而在身體裏產生出來的蛋白質，能抵抗或殺死病毒。

傳染病　能夠傳染給別人的疾病，可以通過唾液、空氣等途徑傳播開去。

接種疫苗　為了預防傳染病或較嚴重的疾病，事先注射含有少量病毒或細菌的疫苗，使我們的身體產生出能夠抵抗某種疾病的抗體。

卡路里　計算熱量的單位。參考這些卡路里數字，我們可以知道食物當中包含了多少能量。